Cielo Azul

Título original en croata: *Plavo Nebo*
Primera edición en croata, 2001

Traducción: Ana Gabriela Blažević, Esteban Miguel Blažević

Dirección editorial: Sandra Feldman
Colaboración: Erika Olvera, Alejandra Quiroz
Formación: Érika González

Nuevo León 250-7, Col. Condesa
C.P. 06140 México, D.F.

www.leetra.com / contacto@leetra.com

ISBN 978-607-96900-5-2

Impreso en China / *Printed in China*

Andrea Petrlik

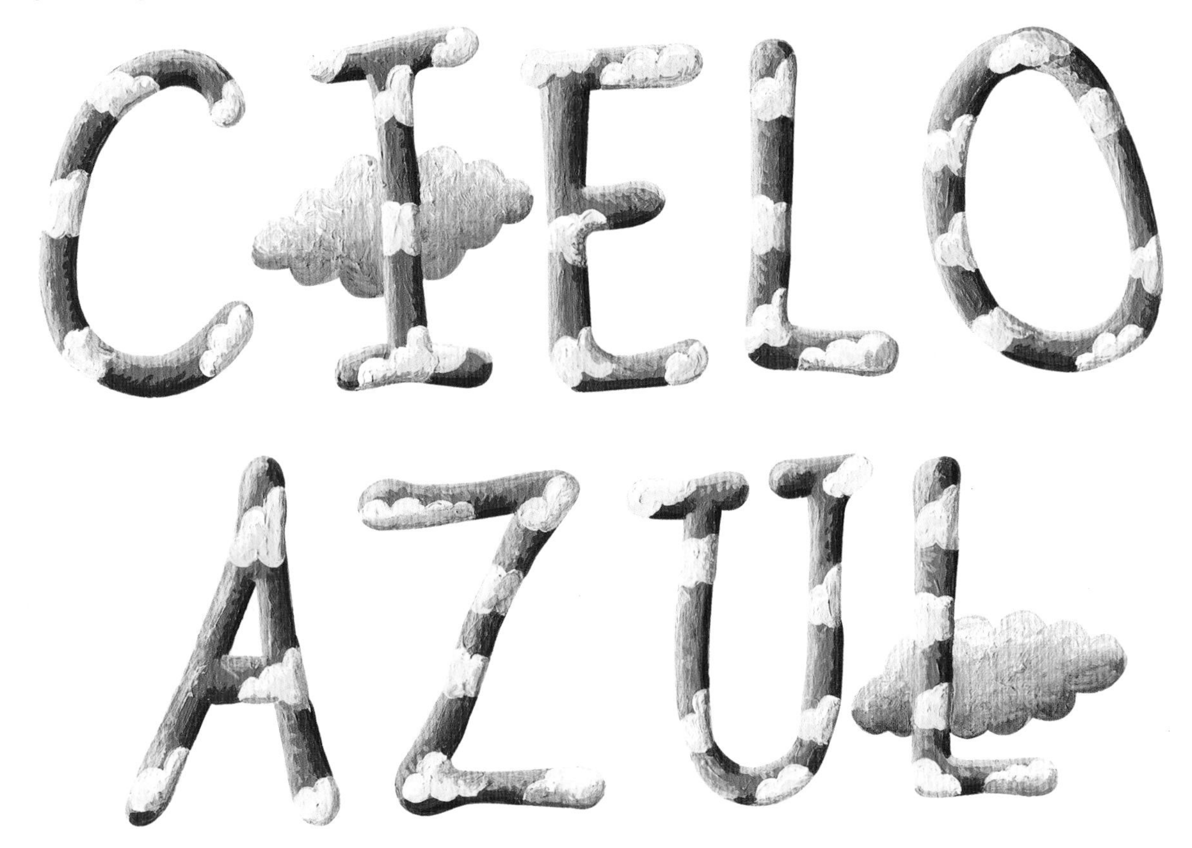

Leetra

A mi mamá

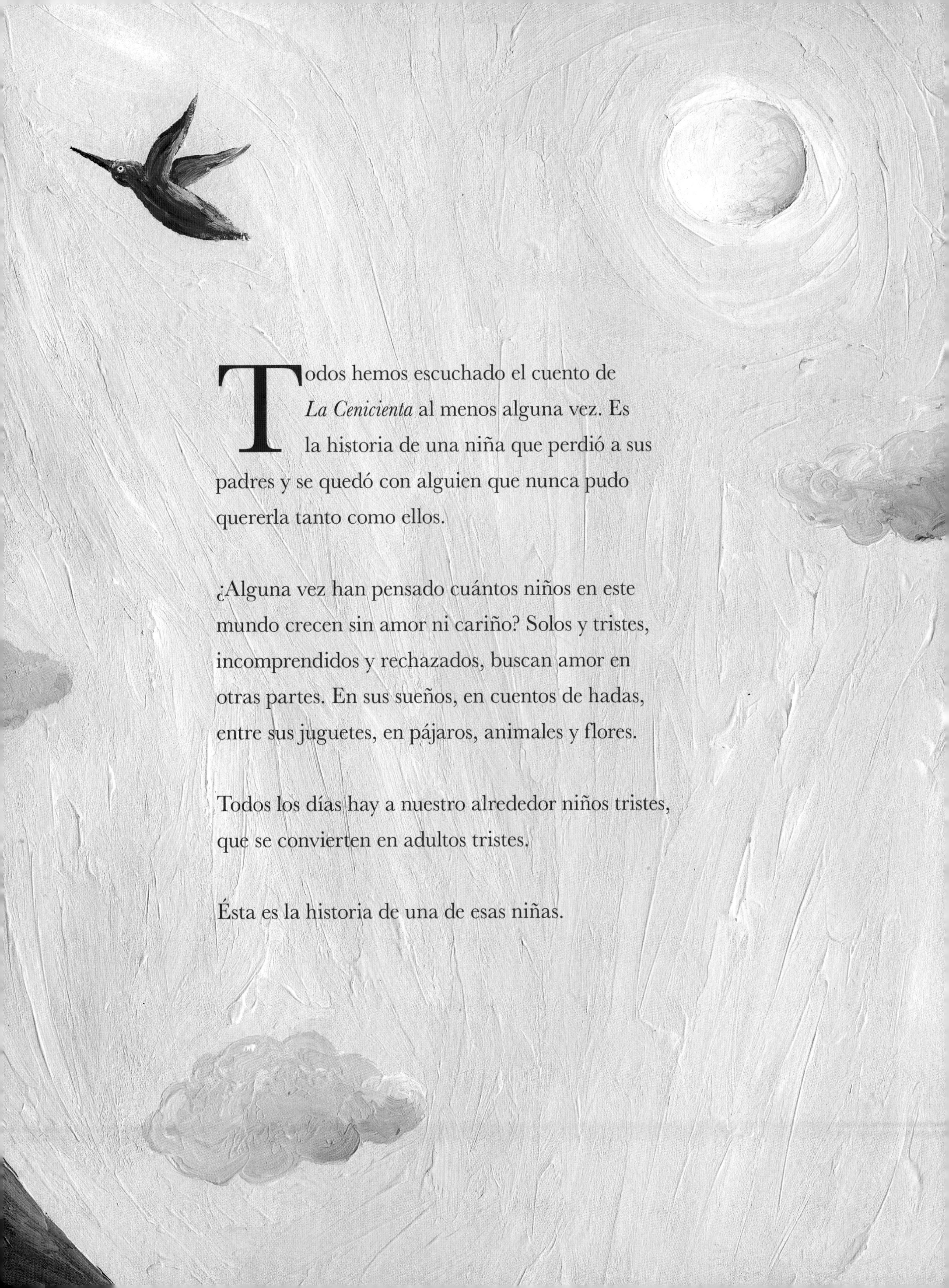

Todos hemos escuchado el cuento de *La Cenicienta* al menos alguna vez. Es la historia de una niña que perdió a sus padres y se quedó con alguien que nunca pudo quererla tanto como ellos.

¿Alguna vez han pensado cuántos niños en este mundo crecen sin amor ni cariño? Solos y tristes, incomprendidos y rechazados, buscan amor en otras partes. En sus sueños, en cuentos de hadas, entre sus juguetes, en pájaros, animales y flores.

Todos los días hay a nuestro alrededor niños tristes, que se convierten en adultos tristes.

Ésta es la historia de una de esas niñas.

En una ciudad, en un alto
rascacielos, vivía una niña.
Tenía apenas diez años y estaba
completamente sola.

Cerca de ella había tías y tíos, pero cada uno de ellos tenía sus propios hijos y ninguno podía quererla como unos verdaderos padres. Realmente les parecía extraña: no le gustaba jugar con otros niños, no convivía mucho con la gente… Era una niña ensimismada, callada, introvertida y solitaria.

Cada día se alejaba más de las personas. Si alguna vez alguien la hubiera abrazado sincera y delicadamente, con mucho amor, y si tan sólo hubiera sentido un poco de cariño, la historia habría sido distinta. Así, se pasaba todo el día dibujando cuadros azules, leyendo cuentos tristes y mirando por la ventana. Es más, si ahora alguien quisiera dedicarle una palabra cálida, ella no la escucharía. Ya es demasiado tarde. Construyó un muro a su alrededor. Su rascacielos se convirtió en una alta torre donde nadie podría alcanzarla.

En lo más alto de su torre había una ventana. Pasaba el día mirando el cielo azul a través de ella. Hace mucho tiempo, alguien le dijo que su mamá estaba entre las nubes. Y así, ella la buscaba en cada una.

Alrededor de su torre volaban cientos de pájaros azules.

Poco a poco los pájaros empezaron a visitarla. Con ellos podía hablar durante horas. Ya no estaba sola. Tenía a alguien en quien posar su pequeña mano y contarle de aquellos días en que era feliz. Todos los días recordaba algo sobre su pasado.

Pronto descubrió que entre las nubes vivían distintos seres. Allí había un caracol que llevaba en la espalda una gran casa gris. En esa casa vivía únicamente él. De vez en cuando alguna nube la atravesaba.

La niña saludaba alegremente al caracol. Recordó cómo ella y su mamá salvaban a los caracoles que encontraban en el camino y los llevaban al pasto.

Después del caracol apareció un ratón.

—Qué ratón más extraño —dijo en voz baja la niña—. Seguro es el ratón de algún cuento de hadas.

Ella conocía muchos cuentos porque su mamá siempre se los contaba antes de dormir.

Un día, entre las nubes y los pájaros azules, apareció también un elefante. Grande y gris, atravesaba el firmamento a pasos agigantados. La niña se alegró mucho al verlo. Su mamá la llevaba a menudo al zoológico, donde alimentaban juntas a los elefantes. Quizá éste era uno de ellos.

Al día siguiente soplaba un fuerte viento. El cielo estaba gris y las nubes se sacudían por todos lados. De repente apareció un conejo. El viento le arrancó el reloj azul con el que medía el tiempo. A la niña le pareció reconocerlo: era el conejo de *Alicia en el país de las maravillas,* uno de los libros que hacía mucho tiempo le había leído su mamá. Sí, era ese conejo.

Justo cuando se acordó de la tortuga que su mamá y ella alimentaban con lechuga, por el cielo pasó una. Sus largas patas salían del caparazón, en el que podía ocultarse y encerrarse en cualquier momento. Pero en el cielo no había nadie, excepto algunas nubes suaves, y la tortuga podía pasear tranquilamente. Entonces la niña le preguntó adónde iba. La tortuga no se asustó porque la niña le pareció tierna y un poco solitaria.

—Busco a una señora que hace mucho tiempo me alimentaba. Gracias a ella nunca pasaba hambre. Oí que vive en algún lugar entre las nubes —contestó la tortuga.

Al día siguiente llegó un pájaro azul. Era extraño. Parecía estar hecho de nubes. Y justo cuando la niña se preguntaba qué tendría que ver ese pájaro con su mamá, el pájaro le dijo:

—Yo soy un pájaro celestial. Hace mucho tiempo, cuando aún vivía en la tierra, una de mis alas se lastimó. No podía volar. Una señora me levantó suavemente, me alimentó y me cuidó hasta curarme. Una niña pequeña estaba con ella. Algunos pájaros me han dicho que la mujer que me cuidó se convirtió en un ser celestial, como yo. Todos los días la busco entre las nubes. Quisiera darle las gracias —dijo el pájaro azul.

—Ésa es mi mamá. ¿Dónde puedo encontrarla? —preguntó la niña. Pero el pájaro ya no estaba. Había desaparecido.

La niña había perdido toda esperanza de encontrar alguna vez a su mamá cuando apareció otro pájaro. Éste también era muy extraño. Tenía en su interior una puerta.

—¿Y tú quién eres? —preguntó la niña.

—Hace mucho tiempo fui un mirlo. Una mañana me caí del nido y ya no supe regresar. Creí que nunca volvería a ver a mi mamá. De repente, junto a mí apareció una mujer con su pequeña niña. Me levantaron con cariño y me abrigaron en sus cálidas manos. Encontraron mi nido y me devolvieron a él. Hoy soy yo quien ha venido a devolver a esa niña perdida a los brazos de su mamá. Pasa por mi puerta y sube por las escaleras al cielo. Allí encontrarás todo el amor y el cariño que hace tanto tiempo perdiste —dijo el mirlo en voz baja.

La niña entró por la puerta y subió las escaleras. Nadie la ha vuelto a ver. Los pájaros que vuelan por el cielo azul dicen que está entre las nubes, con su mamá.

Esta fotografía la tomó mi madre en el verano de 1972. Entonces yo tenía cinco años y medio. Cinco años después ocurrió el evento más triste de mi vida: me quedé sin mamá y sin papá.

Después de eso crecí, terminé la Academia de Bellas Artes, me casé y me convertí en madre. Hasta ahora he ilustrado muchos libros infantiles, pero mi mayor anhelo era ilustrar uno propio. La idea para este libro nació en el otoño de 2001 mientras participaba en el taller de arte UNESCO-BIB en Bratislava.

Por el cuento *Cielo azul (Plavo nebo)* obtuve en 2002 el premio *Grigor Vitez* y en 2003 la *Placa de Oro* en la 19ª Bienal de Ilustración de Bratislava. Los dibujos originales de este libro forman parte de la colección internacional del Chihiro Art Museum, en Japón.

Este libro ilustrado se lo dedico a mi mamá. De ella heredé el amor a los colores y los pinceles, y así pude continuar lo que ella inició.

La autora